# Pour Olivia

Merci, Nana, et aussi Kurtis et Bette!

Catalogage avant publication de Bibliothèque et Archives Canada

D'Amico, Carmela

Ella l'élégante / Carmela et Steven D'Amico; texte français d'Hélène Rioux.

Traduction de : Ella the Elegant Elephant.

Pour les 7-11 ans.

ISBN 0-439-95839-3

I. D'Amico, Steven  II. Rioux, Hélène, 1949-  III. Titre.

PZ26.3.D35El 2005      j813'.6      C2005-902993-5

Édition publiée par les Éditions Scholastic, 175 Hillmount Road, Markham (Ontario) L6C 1Z7.

5 4 3 2 1    Imprimé au Canada    05 06 07 08

Conception graphique : Steven D'Amico et David Saylor

# Ella l'élégante

Carmela et Steven D'Amico

Texte français d'Hélène Rioux

Éditions
SCHOLASTIC

Les îles des éléphants se trouvent quelque part dans
le grand océan Indien. Un brouillard si épais les entoure
qu'aucun être humain ne les a jamais vues.

Une petite éléphante timide, nommée Ella, habite dans l'une
de ces îles. Ella aime beaucoup la nouvelle boulangerie de sa mère
et leur appartement douillet au-dessus. Mais sa mère et elle
viennent d'arriver dans le quartier et Ella est inquiète.

Sa mère lui suggère de faire quelque chose de constructif, au lieu de s'inquiéter, mais Ella n'a aucune idée.

— Eh bien, il reste des choses à déballer, lui rappelle sa mère. Tu pourrais me donner un coup de main pendant que ces biscuits refroidissent.

Ella ne trouve pas cela très amusant, mais elle n'a rien de mieux à faire.

– Bon, d'accord, dit-elle en suivant sa mère dans l'escalier qui craque.

Ella voit tout de suite une boîte
à chapeau en bois, couverte de
poussière. Sur le couvercle, il y a
une carte avec les mots :
   *Pour Ella, de grand-maman*
Ella ouvre la boîte.
   – Oooh! Maman, regarde!

– Ah oui! dit sa mère. Je me souviens très
bien de ce chapeau. Grand-maman l'appelait son
« chapeau chanceux ». Elle l'aimait beaucoup.
Je suis sûre que c'est pour ça qu'elle a décidé
de te le donner.

Ella tient le chapeau près de son cœur.
Puis elle le met sur sa tête.

– Je l'adore! dit-elle. Oh, oui! je l'adore!

À l'école, le premier jour, Ella ressemble à toutes les éléphantes de sa classe.
Une seule chose la distingue des autres...

Elle porte son chapeau.

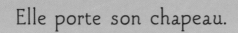

L'enseignante demande gentiment à Ella de s'asseoir
à la dernière rangée pour que les autres élèves puissent
voir le tableau.

Quand toutes les élèves sont installées, Mlle Bonnebelle dit :
— Cette année, nous avons une nouvelle amie dans la classe.
Ella, veux-tu venir en avant et nous parler un peu de toi?

Ella ne s'attendait pas à cela! Elle se sent rougir. Inspirant
profondément, elle s'avance dans l'allée. Mais, en chemin,
elle trébuche et s'étale de tout son long sur le plancher!

– Bélinda Bleue! s'écrie Mlle Bonnebelle,
mécontente. Je t'ai vue! Tu devrais avoir honte!
Bélinda baisse la tête.

– Je ne l'ai pas fait exprès, dit-elle.

À la récréation, Ella s'assoit
toute seule, espérant que
quelqu'un l'invitera à jouer.
Mais personne ne vient
la chercher.

Bélinda Bleue, la plus grande éléphante
de l'école, s'approche d'Ella.

— Ce chapeau est ridicule, lui lance-t-elle. Il ne va
même pas avec ton uniforme.

— C'est vrai, ajoute Tiki, l'amie de Bélinda,
en remontant ses lunettes. Mais elle croit
peut-être que ça lui donne un air élégant.

— Je sais! s'écrie Bélinda. Nous allons l'appeler
Ella l'élégante.

— Oui! dit Tiki en riant. Ella l'élégante éléphante!

Lorsque Ella rentre chez elle, sa mère lui demande comment s'est passée sa journée.

– C'était terrible! répond Ella. Tout le monde s'est moqué de mon chapeau.

– C'est sans doute parce que tes camarades ne savent pas ce que ce chapeau signifie pour toi. Tu devrais peut-être le leur expliquer.

– Non, dit Ella.

Elle a trop de chagrin.

– Ma petite chérie, dit sa mère en soupirant. Les choses vont s'arranger, je te le promets.

Le lendemain, à l'heure du dîner, Ella s'assoit toute seule pour manger son sandwich.

Soudain, quelque chose lui frappe l'arrière de la tête.
C'est un gros ballon rouge!

– Hé! Ella l'élégante! crie Bélinda. Tu veux jouer
au ballon?

Ella n'a pas très envie de jouer avec Bélinda, mais
elle a peur qu'on la taquine encore plus si elle refuse.
– D'accord, dit-elle, puis elle lance le ballon.

Plutôt que de renvoyer le ballon à Ella, Bélinda le lance sur le mur qui entoure la cour de l'école.

– Alors, Ella, pourquoi ne vas-tu pas chercher le ballon? dit-elle.

– C'est contraire aux règlements, répond Ella.

– Personne ne regarde, rétorque Bélinda d'un air méprisant.

– Mais je crois que c'est dangereux, dit timidement Ella. Bélinda roule les yeux.

– Non, ce n'est pas dangereux, insiste-t-elle. Tu n'as qu'à grimper sur le mur et à lancer le ballon. Il n'y a rien de plus simple.

– Si c'est tellement simple, dit alors Ella, pourquoi ne le fais-tu pas toi-même?

Tiki et les autres élèves se tournent vers Bélinda.

– Bien, je vais le faire, dit Bélinda en lançant un regard de défi à Ella. Mais toi, tu as raté le test.

Elle se tourne alors vers ses amies.

– Eh bien, ne restez pas là sans rien faire! hurle-t-elle. Aidez-moi à grimper!

D'autres élèves s'approchent,
se demandant ce qui se passe.

Bélinda commence alors à se donner en spectacle.
Elle jongle avec le ballon et sautille sur une patte.
— Regardez comme c'est facile! s'écrie-t-elle.
Mais, en sautant ainsi, elle finit par perdre l'équilibre,
et...

...elle glisse!

Personne ne sait quoi faire!

Quelques élèves se précipitent à la recherche d'une enseignante. D'autres se couvrent les yeux.

Mais la plupart restent immobiles et regardent Bélinda.

Bélinda se met à pleurer.

Ella a de la peine pour elle. Bélinda est peut-être moins dure qu'elle ne le paraît.

Sans même réfléchir à ce qu'elle va faire, Ella annonce :

– Je vais t'aider!

Elle ne sait pas comment, mais elle sent qu'elle doit tenter quelque chose.

Une fois arrivée en haut, Ella dit :

– Bon, prends ma main.

Bélinda obéit, et Ella tire de toutes ses forces. Mais Ella est si petite et Bélinda est si grande…

...que le poids de Bélinda les fait basculer toutes les deux!

Elles tombent...

tombent...

Et ALORS...

...il se passe une chose étonnante!

Même Bélinda sourit sous un grand chapeau violet!

– Comme tout le monde ne peut pas s'asseoir à la dernière rangée, dit Mlle Bonnebelle, je vous prie d'enlever vos chapeaux... mais seulement pendant la classe.

Toutes les élèves s'assoient.

Ella lève les yeux vers le tableau et éclate de rire...

Oui, les choses se sont vraiment arrangées.